AN GALAR DUBHACH

An Galar Dubhach

Máire mhac an tSaoi

Sáirséal agus Dill
Baile Átha Cliath

An Chéad Chló 1980
ISBN 0 902563 71 8

LEIS AN ÚDAR CÉANNA

MARGADH NA SAOIRE

CODLADH AN GHAISCÍGH

CLÁR

LOVE HAS PITCHED HIS MANSION...

An cailín mánla deoranta nár dhual di an obair
    tháir seo,
Do tháinig sí croí-leonta le héileamh chugham ón
    mháthair;
'Comhairigh an uile ghiobal beag a bhaineann le
    mo pháiste,
Cuntais iad go scrupallach, ná fág aon loc san
    áireamh,
Má fhanann oiread's bríste amú, tá an lios i
    ngreim im bábán—
Is dá fhaid ó bhaile a scarfam iad, sea is mó dá
    chionn a thnáthfaidh!'

'Ním agus glanaim,' ar seisean, 'agus scagaim mo
    dhá láimh Ann!'...
I mbríste beag an cheana, banúil, breacaithe le
    blátha;
Cuirim tríd an sobal é, rinseáilim agus fáiscim—
Níl naomh a thuigfeadh m'aigne 'stighse ach a b'é
    Píoláit é!
Solas na bhflaitheas dá anam bocht go ngnóthaí an
    níochán so!
    Amen!

9

Aithis chun scrín na baindé gur tearmann di an
    t-ard beag!
Do stolladh fial an teampaill mar do thairngir an
    fáidh é!
Scaoilim iarann ar an éadach is is clos dom an
    t-éamh ag Reáime—
Agus tugaim uaim an t-altram is a balcaisí
    pacáilte. . .
De gháire na nathrach seanda, de gháire na
    leasmháthar!

MÁIRÉAD SA tSIOPA
CÓIRITHE GRUAIGE

(Teideal le caoinchead ó Ghabriel Rosenstock)

CHÚIG mbliana d'aois! Mo phlúirín ómra!
    Nár bhaoth an mhaise dhom t'fholt a chóiriú!
Ó do ghaibhis go mánla chun na mná bearrabóra,
Fé dheimheas, fé shobal, fé bhioráin, fé chócaire,
So-ranna, sobhéasach, dea-mhaitheasach, deontach,
Mar uan chun a lomtha is a bhreasaltha i bpóna,
Gur tharraingís talamh id ghearrabhean ghleoite,
Id Shirley Temple, ach a bheith griandóite,
Is gur nocht an scáthán chughat an dealramh nó
        so. . .
Golfairt mar chuala nár chloisead go deo arís!
D'fholaís do ghnúis im bolg id sceon duit—
Ábhar do sceimhle ní cheilfead gurb eol dom:
Chughat an fhuil mhíosta, an cumann, an pósadh,
An t-iompar clainne is gaiste an mhóramha. . .
Mo ghraidhin do chloigeann beag is do ghlóire
        chorónach
I ngabhal do mháthar ag fúscadh deora
Le fuath don mbaineann is gan fuascailt romhat
        ann!
A mhaoinín mh'anama, dá bhféadfainn
        d'fhónfainn.

11

BUANCHAS

Do Mhuiris Biggar i gcuimhne Phádraig de Brún
ba sheanuncail dó

BEIRIM ar phionsúirín dochum ribe sin na
     bradaíle
'Chuireann feirc an airseora ar leathmhalainn liom,
     míochuíosach!
Is le linn dom é 'stoitheadh, an tsnathaidín íogair
Ná goineann im aigne do chuimhne ró-dhílis?

Ar léarscáil an cheana cláréadan mar shliabh,
Is mar scéitheamh na haille na braoithe leaistíos,
Dhá mhalainn dob achrannach—léigh mar
     chaschoill—
Is, caithréimeach, feac-sceamha uathu, mo ribe ar
     fiar!

Oiread 'a fraí—ach dá shuaraí é an t-iarsma,
An phearsa chollaí athchruinníonn sí 'na thimpeall,
Ardchrochta, ardscoiltithe, scópúil mar bhíteá
Id chorpardhacht raidhsiúil is i mbláth na
     fearaíochta...

12

Cúlaím ón bhfolús is aithchim coimhdeacht na
	mblian—
Cár ghaibh an bheatha, spreagadh an choimpléasa
	sin?
Aithne th'easnamha is danaid liom is ní mian;
Mairfead mar chaithfead is níl mo thóir ar an
	bpian!

Ná fógair as san faoin lic an ansacht, an chaoine,
An mheabhair, an spéacla, an leabhar, ná gal na
	pípe,
An greann, an ghloine—Nach leor go bhfuil
	Brúnaigh fírinneach
Cé ná maireann de shloinne an phóir aon oighre
	'na ndiaidh orthu?

SONAS SAN AITHBHLIAIN ORT!

AG siúl dúinn thar chluainte na Bóinne,
Idir Nollaig 's Lá Coille,
Faoi bhun an Bhrogha,
Ba léir dúinn de dhearcadh ar an aer
Cúpla ar mhuin chúpla d'ealaí,
Gur sháraigh an scuaine an scór.

Níor thaibhsigh an Carbad Searrdha,
Ach do léim an sionnach as an luachair
Is do ghluais ar nós urchair
Chomh díreach le gáinne
Gan radharc ar chorraí as a chabhail,
Go fiú eireaball sínte go righin lena bhun
Mar an bhruis bheag a ghlanfadh buidéal!

Sa bhfilleadh dhúinn
Siúd romhainn na naíonáin uan
Ag damhas *Tatter-Jack-Walshe*
Le comhrac lae is oíche
Ar thairsigh na bliana;
Creid fós nár chun ratha don tuar:
Ag baile bhí doras na seide,
Neamhaistearach, fágtha ar leathadh,
Cnagtha ag an ngaoith!

FÓMHAR NA FARRAIGE

SHEO linn ar thórramh an Gharlaigh
    Choileánaigh
Is i ndoras an tseomra bhí romhainn an mháithrín,
'A mhaicín ó,' ar sí, 'Ní raibh críne i ndán duit
Is is dual don óige bheith fiain rascánta—
Is ochón!'. . .

Fíoghar ar mo shúile iad cneácha míofara a mic,
Is snagaíl fhiata a ghlórtha is teinn trém
    chluasaibh—
An gearrcach gránna an dá uair báite againn,
Greas insa tsrúill is greas fén mbladar tomtha—
Is ochón!

Lasann 'na ghnúis chugham an dá shméaróid
    dhóite;
Rian na gcúig mhéar mo leiceadarsa 'tharraing
Tráth gabhadh é is a ladhar aige sa phróca. . .
Is duitse atáim á insint, a phoill an fhalla!
Is ochón!

'gCloistí an mháthair? 'Fé mar chaith sé liomsa!
Is tar éis gur fhág príosún d'fhill ar an
    bhfaoistin'. . .
Do scar an mhrúch a folt glas-uaithne ar
    Chonaing—
D'fhuadaigh ó fhód na croiche an cincíseach!
Is ochón!

15

Amhantarán ón gceallúraigh in' aithbhreith
Ag sianaíl choíche ar rian na daonnachta!
Iarlais ins a' tsíog gaoithe ar neamhmbeith!
Coillteán na trua ón aithis dhéanach so!
Is ochón!

Ná bí ag brath ormsa, 'ainniseoir!
Id cháilíocht fhéin dob ann duit dá shuaraí í—
Ach ní réitíonn an marbh is an beo
Hook your own ground! Ní mise bard do chaointe—
Is ochón!...

Éignigh a ghreim den ngunail—bíodh acu!
Cuir suas an t-íomhá céireach i measc na gcoinneal,
An féinics gléasta tar éis a thonachtha,
Is téadh an giobal scéite síos go grinneall—
Is ochón!...

Scéal uaim ar thórramh an Gharlaigh Choileánaigh,
Níor facathas fós dúinn aon tsochraid chomh breá
          léi,
Cliar agus tuath is an dubh ina bhán ann—
Is bearna a' mhíl i bhfolach fén gclár ann!
Is ochón!

TITIM FIACAILE

BRÉITS tá i gcrioslach Áibhile,
Ceibeic—tháinig a ré,
Fabhtach Áth Luain is Luimneach,
Fiú Doire os chionn a' ché
Ní seasamh léigir feasta,
Ach an daigh a chuaig trém' chlé
An mant i mbéal mo linbh
'Sháraigh cinniúint na Trae—
Gura tuar chun fáis í an bhearna úd—
Mar caithfear foighneamh léi!

AMHRÁN CÉAD CHOMAOINE
Do Phádraig

FÁILTE romhat, a linbh naoimh,
Tar chugham isteach is féach mo chroí
Ar oscailt Romhat mar sheomairín
Is gléasta agam do Mhac mo Rí
Le gach bréagán is uaisle cló,
Do leaba bheag faoi éadaí sróil,
Is grian isteach tré ghach fuinneog
Is éanlaithe leasmuigh ag ceol...

Sin iad na gnío'rtha maithe uile
Ar mhaithe le Do ghrá do rinneas
Mar shúil go bhfanfá liom go deo,
Comrádaí buan gach áit dá ngeobhainn—
Is Tú mo Thiarna is mo Dhia,
Mo sciath ar pheaca is ar phian,
Ach fós is páiste mar mé féin
Is tuigimid a chéile araon!

SCI-FI

CAD a bhíonn ar bun agat agus mise as baile?...

Chím cistin ar nós mo chisteanach, ach níos glaine,
Agus gearrchaile ar nós mo ghearrchailese, ach níos
    deise,
Agus bean ar mo nós féin ach níos óige—
Mar cífí duit ar T.V.—
Agus leasmuigh dhe-sin do-chím neamhní—
Gan neach fireann 'ár ngaire
Neamhní ar nós na daille.

Gan aon Phádraig ón scoil abhaile
Ag áilteoireacht dó ó bhus go geata—Neamhní!
Gan aon Daidí an doras isteach chughainn
Agus buidéal fíona faoin ascaill—Neamhní!

Ní daoine sin ach rudaí
Gan fireannach ar na gaobhair,
Agus is de chárta na fallaí
A bhfuil áibhéis gan tón phoill
Dá sú ó chéile de shíor—Neamhní!

19

BÁS MO MHÁTHAR

AN dá shúil uaine ar nós na farraige
     Cruaidh mar an chloch,
Ag tarrac caol di ar thíos na beatha
          Gan farasbarr,
Ní rabhadar gairdeach, muirneach fá mo choinne:
          Ná rabhas-sa gafa feasta ar shlua na namhad?
Ag díbirt m'athar uaithi! Ag comhairliú réasúin!. . .

Ní mar sin a samhlaítí dom an bhris,
Ach maoithneach, lán de dhóchas, daite pinc
Le grian tráthnóna, blátha, crónán cliar.
M'aghaidh lena gnúis, mo lámh i ngreim a láimhe,
Shaothróinn di—caiseal tola—cúirt na bhflaitheas,
Is teann an éithigh chrochfadh na geataí
Sa múrtha: ní bheadh teora lem ghaibhneoireacht!
Ní dhruidfeadh léithi oíche an neamhní
Roimh éag don aithne—Ní mar síltear bítear:
Do chros an Dia nach ann Dó an fealladh deiridh!

STOP THE WORLD...
In memoriam E.C.

NÍL turas ar spéir ó dtagaim slán
Nach tnúth dhom le folús an aeir;
Níl tarrac tíre dá bhfuil ann—
Ansa liom grinneall an aigéin. . .

Is áirigh bus na scoile féin. . .

Maolaigh mo chol le beatha, a Dhé,
D'ídeodh mo dhaoine is mo rae;
Saor sinn, a Chríost, ar chur i gcéill
Roimh theacht do thuar faoi thairngire!

Trí Cinn de Dhánta Diaga

I

PAIDIR NA BAINRÍONA EILÍSE
AR CHORP CHRÍOST

ón mBéarla

AN Té do labhair an briathar
Le linn dó an t-arán a riaradh,
Fé thuairim na céille 'chiallaigh
Glacaim is géillim sa phroinn seo.

II

TABHAIR DOT' ATHAIR IS DO DO MHÁTHAIR ONÓIR

'Ní féidir liom féachaint ort
    Ag fuáil gan méaracán,'
A deireadh mo mháthair—
    Níor tugadh aon aird uirthi...

'B'fhearr liom a bheith ag fáscadh,'
    Ar sí
'Ghainí' fém' fhiacla'—
    Neamhthor ba dhíol di...

D'fhonn leorghnímh san éileamh
    A thug sí 'on chill léi,
Fuaim anois le méaracán
    Mar is dual do bhean chríonna!

III
INGEANNA FÁIS

Cé chaith orthu in airde na giobail sin in ao'
  chor?
Mo chailín catach, gleoite mar bheadh leanbh an
  tuincéara!
Is mo mhac beag in' amhránaí paip
D'éalaigh as *Grease*—Cabhair Dé chughainn!

Lazarus nuair d'fhill ón tuama ar athraigh sé a
  thréithe?
Billí na sochraide gan íoc, tíorántacht na
  ndriféarach—
Is tar éis na scléipe thart ar ghoill cúram iníne ar
  Iéaras?

Is milis iad an bheatha bhaoth is fairsinge an aeir
  bhoig
Ach a bhfuil de dhua a leanann iad—Céad moladh
  agus buíochais!
Treoir dúinn a Dhé an turas thar n-ais, leathdhuine
  i mbun téarnamha!

YOU CAN'T WIN

ARÉIR do chleachtas-sa im leabaidh aonair
Lánúnas rabharta arís den gcéad uair
Tar éis na hóspairte 'mhartraigh go héag mé...
    Is dom níorbh' atuirseach:
Le teann fuarchúise gan spleáchas d'ao' 'uine,
A ndleacht fadchealaithe ba chuimhin lem' mhéara
    Ar thóir an taithithe;

Fuaidreán clairseora ar sreanga teanna,
Cúrsáil bádóra in ithe an bhealaigh,
Máineáil éidreorach ó iúl go haithne
Trí dhiamhair choille, go himeall claise,
'Nar tharraing fá dheoidh an seana-bhaile
Gur shrois ceann sprice an aistir fhada
Is i mbaineanntais láibe gur aimsigh cnaipe—

Ó bhonn go baithis tinneall pléisiúra!
A bhlas im béal, a cheol im cluasa!
An dordán meacha! An scaoi! An scuaine!
Tonn ar mhuin toinne a scuab thar buaic mé!
    Is dom níorbh atuirseach!

     . . .

Gach spreang is scriú im leathchois mhaide
Gur lig gioscán mar thine creasa—
Dhiúltaigh don uain le drannadh snagach—
D'aithníos mé féin arís im beathaigh—
    Faraor, faoi atuirse!

25

FIDELE

ó Bhéarla Shakespeare

Fágadh an véarsa deireanach ar lár tré thaisme
nuair a foilsíodh an dán i *Margadh na Saoire*

TEAS na gréine ort nár ghoille,
    Ná sa gheimhreadh fraoch na spéire;
Níl anso do riar a thuilleadh,
Tabhair abhaile luach do shaothair—
        Óige fhionn is fear na scuaibe
        Mar a chéile déanfaidh smúit díobh.

Feasta taoi beagbheann ar éileamh,
Uabhar an taoisigh duit ní heagal,
Duit ní cúram bia ná éadach,
Dair seach giolcach duit ní haithnid—
        Poimp is léann is leigheas dochtúra
        Leanfaidh tú, is raghaidh sa tsmúit leat.

Splanc thintrí ní baol duit feasta,
Glór na dtoirneach ní mhúsclóidh tú,
Baothbhreithiúnas, cúlchaint chasta,
Gol ná áthas, ní chorróidh tú—
        Searcleannána, ní bhfaighidh diúltadh,
        Géillfidh leat, is raghaidh sa tsmúit leat.

26

Nár mhille tórmach diabhal thú,
Nár mheall' artha draíochta,
Amhailt nár fhagha drochuain ort,
Feall nár bhrise suan ort—
      Seol go séimh do ré chun críche
      Is ar t'uaigh bíodh uasalchuimhne.

PARNELL SEACHAS MISE

'THIT se i ngalar dubhach agus cailleadh'. . .
   Méanar dó;
Thiteas-sa i ngalar dubhach
   Agus mhaireas!

CLÁR NA gCÉAD LÍNTE

Feliks Topolski a rinne an líníocht den Mhonsignor Pádraig de Brún atá ar an gclúdach. Tá na foilsitheoirí faoi chomaoin ag Seán mac an tSaoi a cheadaigh í a úsáid sa leabhar seo

*arna chló do
Sháirséal agus Dill Teoranta
ag Cló Eachroma
ó scannánchló a rinne
Na Clódóirí Eorpacha
Baile Átha Cliath*